THE MOST POPULAR
WELSH CHILDREN'S PICTURE
DICTIONARY EVER!

Y GEIRIADUR LLIWGAR

For Welsh-speakers and learners

Cynllun: Heather Amery
Testun Cymraeg: Roger Boore
Lluniau: Stephen Cartwright

DREF WEN

Cynnwys
Contents

Chwiliwch am yr hwyaden!
Ar bob llun dros ddau dudalen,
mae hwyaden.
Chwiliwch amdani hi!

Look for the duck!
On each picture across two pages,
there is a duck.
See if you can find it!

Am y llyfr hwn

Y Geiriadur Lliwgar yw'r llyfr mwyaf poblogaidd o'i fath a welwyd yn Gymraeg erioed.

Gellir defnyddio'r Geiriadur Lliwgar ar lawer lefel o oedran a gallu. Mae'n cynnig **llond gwlad o bosibiliadau cyffrous i'r Cymro Cymraeg ifanc ac i'r dysgwr** fel ei gilydd. **Gall rhieni di-Gymraeg ei ddefnyddio gyda'u plant.**

Bydd y **lluniau deniadol**, yn llawn hiwmor a hwyl, yn rhoi mwynhad ac ysgogiad i blant o bob oed – ac i'w rhieni a'u hathrawon hefyd.

I blant bach, mae'n llyfr gair-a-llun heb ei ail ar gyfer edrych a siarad. O dipyn i beth daw plant i wybod yr enwau Cymraeg am y pethau yn y lluniau, ac i fedru eu henwi ar lafar. Maes o law byddant yn cysylltu'r geiriau Cymraeg printiedig hefyd â'r pethau a ddarlunnir.

Bydd **plant hŷn** yn defnyddio'r llyfr ar gyfer ysgrifennu a thrafod. Ynddo dônt o hyd i syniadau, geiriau newydd, a sillafiadau cywir.

Caiff **plant o bob oed sy'n dysgu Cymraeg fel ail iaith** gyfoeth o gyfleoedd yn y llyfr hwn i ddysgu geiriau newydd ac i'w defnyddio mewn sgwrs ac ysgrifen.

About this book

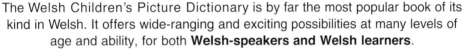
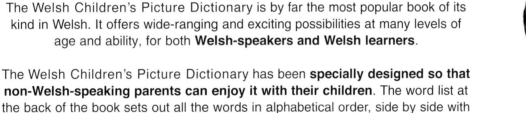

The Welsh Children's Picture Dictionary is by far the most popular book of its kind in Welsh. It offers wide-ranging and exciting possibilities at many levels of age and ability, for both **Welsh-speakers and Welsh learners**.

The Welsh Children's Picture Dictionary has been **specially designed so that non-Welsh-speaking parents can enjoy it with their children**. The word list at the back of the book sets out all the words in alphabetical order, side by side with their English equivalents.

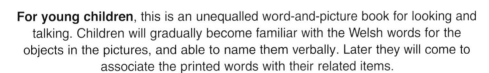

The attractive, **fun-packed illustrations** will give pleasure and stimulus to children of all ages – not to mention their parents and teachers too.

For young children, this is an unequalled word-and-picture book for looking and talking. Children will gradually become familiar with the Welsh words for the objects in the pictures, and able to name them verbally. Later they will come to associate the printed words with their related items.

Older children will use the book as a basis for writing and discussion. They will find it a source of ideas, new words, and correct spellings.

Children of all ages who are learning Welsh as a second language will find in this book a multitude of opportunities to learn new words, and to use them in speech and writing.

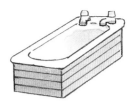

bath

sebon

tap

papur tŷ bach

brws dannedd

dŵr

toiled

sbwng

basn ymolchi

cawod

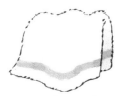

tywel

Yn y tŷ

gwely

ystafell ymolchi

ystafell fyw

past dannedd

radio

clustog

cryno-ddisg

carped

soffa

4

cadair

dwfe

crib

cynfas

mat

ystafell wely

cyntedd

cwpwrdd dillad

gobennydd

cist ddroriau

drych

brws

lamp

lluniau

pegiau

ffôn

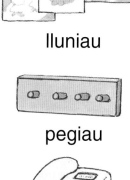

grisiau

 rheiddiadur

 fideo

 papur newydd

 bwrdd, bord

 llythyrau

5

cwpwrdd rhew

gwydrau

cloc

stôl

llwyau te

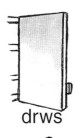

swits

powdwr
golchi

allwedd

drws

Y gegin

sinc

sugnydd
llwch

sosbenni

ffyrc

ffedog

bwrdd smwddio

sbwriel

tegell

cyllyll

mop

dwster

teils

sgubell

peiriant golchi

padell lwch

drôr

soseri

padell ffrio

cwcer

llwyau

platiau

haearn smwddio

cwpwrdd

lliain sychu llestri

cwpanau

matsys

brws

powlenni

berfa

cwch gwenyn

malwen

briciau

colomen

rhaw

buwch goch gota

bin sbwriel

hadau

sied, cwt

Yr ardd

can dŵr

abwydyn

blodau

tasgydd dŵr

hof

cacynen

8

gwenynen

trywel

asgwrn

gwrych

fforch

peiriant torri lawnt

llwybr

dail

coeden

mwg

lindysyn

cribin

nyth

brigau

glaswellt

pram

ysgol

coelcerth

piben ddŵr

tŷ gwydr

9

sgriwiau

Y gweithdy

feis

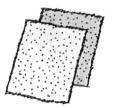

papur llyfnu

dril

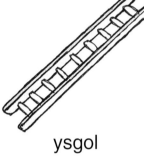

ysgol

llif

blawd llif

calendr

blwch offer

sgriwdreifer

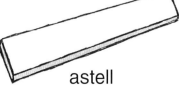

astell

naddion

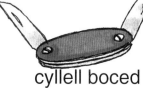

cyllell boced

10

taciau

corryn

bolltau

nytiau

gwe corryn

casgen

cleren

bwyell

tâp mesur

morthwyl

ffeil

pot paent

plaen

coed

hoelion

mainc

potiau

11

Y stryd

siop

twll

caffe

ambiwlans

pafin

erial

simnai

to

jac codi baw

gwesty

bws

dyn

car heddlu

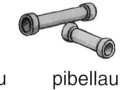
pibellau

dril

ysgol

buarth, iard

12

tacsi

croesfan

ffatri

lori

goleuadau traffig

sinema

fan

rholer

ôl-gerbyd

tŷ

marchnad

grisiau

beic modur

beic

injan dân

plismon

car

gwraig

polyn lamp

fflatiau

13

Siop deganau

organ geg

trên

disiau

recorder

robot

drymiau

neclis

camera

gleiniau

doliau

gitâr

modrwy

tŷ dol

chwibanogl   blociau   castell   llong danfor   trwmped   saetha

bwa

parasiwt

cwch

paentiau wyneb

rholer

masgiau

car rasio

ceffyl siglo

cadw-mi-gei

marblys

pypedau

piano

gofodwyr

craen

toes modelu

gwn

milwyr

paentiau

roced

15

siglenni

pwll tywod

picnic

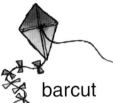

barcut

hufen iâ

ci

clwyd

llwybr

broga

llithren

Y parc

mainc

penbyliaid

llyn

llafnau rholio

perth

16

cyrn

carw

camel

morlo

arth wen

crwban

trwnc

rheinoseros

byffalo

eliffant

afanc

gafr

sebra

siarc

neidr

morfil

teigr

llewpart

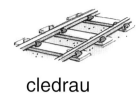
cledrau

Teithio

hofrennydd

injan

byffers

cerbydau

gyrrwr trên

trên nwyddau

platfform

tocynnwr

ces

peiriant tocynnau

Gorsaf reilffordd

Garej

20

signalau

gwarbac

goleuadau blaen

peiriant

olwyn

batri

awyren

stiwardes awyr

llain lanio

tŵr rheoli

stiward awyr

peilot

golchfa geir

cist

petrol

lori dynnu

pwmp petrol

Maes awyr

tancer petrol

sbaner

teiar

boned

olew

21

melin wynt

balŵn awyr-boeth

pilipala

madfall

cerrig

llwynog

nant

arwyddbost

draenog

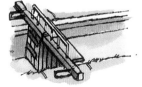

llifddor

Yn y wlad

mynydd

gwiwer   coedwig   broch, mochyn daear   afon   ffordd

pebyll

camlas

boncyffion

pentref

gwyfyn

pont

cwch camlas

rhaeadr

tylluan, gwdihŵ

twnnel

cenawon llwynog

gwadd

pysgotwr

creigiau

llyffant

trên

carafán

bryn

23

tas wair

ci defaid

hwyaid

ŵyn

llyn

cywion ieir

taflod

cwt mochyn

tarw

hwyaid bach

cwt ieir

Y fferm

ceiliog

tractor

gwyddau

tancer

ysgubor

llaid

cert

24

ffermwr

cae

ieir

llo

ffens

cyfrwy

beudy

buwch

aradr

perllan

stabl

moch bach

bugail

twrcïod

bwgan brain

ffermdy

gwair

defaid

bêls gwellt

ceffyl

moch

25

cwch hwylio

môr

rhwyf

goleudy

rhaw

bwced

seren fôr

castell tywod

ymbarél

baner

morwr

Ar lan y môr

cragen

cranc

gwylan

ynys

cwch modur

sgïwr dŵr

tonnau

het haul

clogwyn

llong

canŵ

rhaff

cerrig mân

gwymon

rhwyd

padl

cwch pysgota

gweogion

asyn

pysgodyn

gwisg nofio

llong olew

traeth

cwch rhwyfo

cadair draeth

27

siswrn

symiau

rwber

pren mesur

ffotograffau

pennau ffelt

pinnau bawd

paentiau

bachgen

pensil

Yr ysgol

bwrdd gwyn

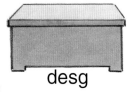

desg

llyfrau

ysgrifbin

glud

sialc

llun

basged sbwriel

athrawes

blwch

map

brws

nenfwd

wal

llawr

llyfr nodiadau

abiéc

bathodyn

acwariwm

papur

bleind

îsl

dolen drws

planhigyn

glôb

merch

creonau

lamp

abc ch d dd e f ff g ng h i j l ll m n o p ph r rh s t th u w y

29

Yr ysbyty

nyrs

gwlân cotwm

moddion

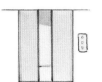
lifft

gŵn gwisgo

ffyn baglau

pils

hambwrdd

oriawr

thermomedr

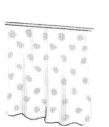
llen

tedi

afal

plastr caled

rhwymyn

cadair olwyn

jig-so

meddyg

chwistrell

30

Y meddyg

slipers

cyfrifiadur

plastr

banana

grawnwin

basged

teganau

gellygen

cardiau

clwt

ffon

teledu

gŵn nos

pyjamas

oren

hancesi papur

comic

ystafell aros

31

Y parti

balŵn

siocled

melysyn

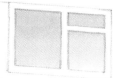

ffenestr

tân gwyllt

rhuban

teisen

anrhegion

gwelltyn

cannwyll

cadwyn bapur

teganau

32

oren

salami

casét

selsigen

creision

gwisg ffansi

ceiriosen

sudd oren

mafonen

mefusen

bylb

brechdan

menyn

bisgeden

caws

bara

lliain bwrdd

grawnffrwyth

moronen

blodfresychen

cenhinen

madarchen

cucumer

lemon

seleri

bricyllen

melon

Y siop

bag plastig

caws

ffrwythau a llysiau

nionyn

bresychen

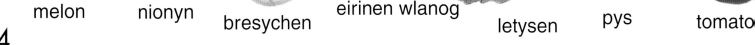

eirinen wlanog

letysen

pys

tomato

swper

ham

cawl

omlet

ffyn bwyta

salad

byrgyr

cyw iâr

reis

saws

sbageti

tatws stwnsh

pizza

sglodion

pwdin

37

Fi

pen

gwallt

wyneb

braich

penelin

bol

bysedd fy nhraed

troed

coes

pen-lin

ael

llygad

trwyn

boch

ceg

gwefusau

dannedd

tafod

gên

clustiau

gwddf

ysgwyddau

brest

cefn

pen-ôl

llaw

bys bawd

bysedd

Fy nillad

hosanau · trôns · fest · trowsus · jîns · crys T

sgert · crys · tei · trowsus byr · teits · ffrog

siwmper · crys chwys · cardigan · sgarff · hances

esgidiau ymarfer · esgidiau · sandalau · esgidiau glaw · menig

gwregys · bwcl · zip · carrai · botymau · twll botwm

pocedi · cot · siaced · cap · het

Pobl

actor   actores

cogydd

dawnsiwr   dawnswraig

cantorion

gofodwr

cigydd

plismyn

saer

diffoddwr
tân

arlunydd

barnwr

mecanydd

40

barbwr

gyrrwr lori

gyrrwr bws

deintydd

plymiwr dŵr bas

gweinydd   gweinyddes

postmon

peintiwr

pobydd

Y teulu

modryb   ewythr

mab
brawd

merch
chwaer

mam
gwraig

tad
gŵr

cefnder

tad-cu, taid

mam-gu, nain

41

Gwneud pethau

chwerthin

gwenu

meddwl

wylo

gwrando

dal

taflu

malu

peintio

ysgrifennu

torri coed

torri papur

bwyta

siarad

palu

cario

yfed

gwneud model

neidio

cropian

dawnsio

ymolchi

gweu

42

chwarae

gwylio

dringo

ymladd

cysgu

cymryd

gwnïo

sgipio

aros

coginio

cuddio

darllen

gwerthu   prynu

gwthio

ysgubo

canu

casglu

chwythu

tynnu

syrthio   cerdded   rhedeg   eistedd

43

Geiriau gwrthwyneb

da

drwg

pell

agos

oer

poeth

gwlyb

sych

top

gwaelod

dros

dan

budr, brwnt

glân

tew

tenau

ar agor

ar gau

bach

mawr

ychydig

llawer

cyntaf

olaf

i'r chwith

44

tu allan

tu mewn

hawdd

anodd

gwag

llawn

meddal

caled

ffrynt

uchel

araf

cyflym

cefn

isel

hir

byr

marw

byw

tywyll

golau

hen

i fyny

i'r dde

newydd

i lawr

45

Dyddiau

dydd Llun
dydd Mawrth
dydd Mercher
dydd Iau
dydd Gwener
dydd Sadwrn
dydd Sul

calendr

bore

hwyr

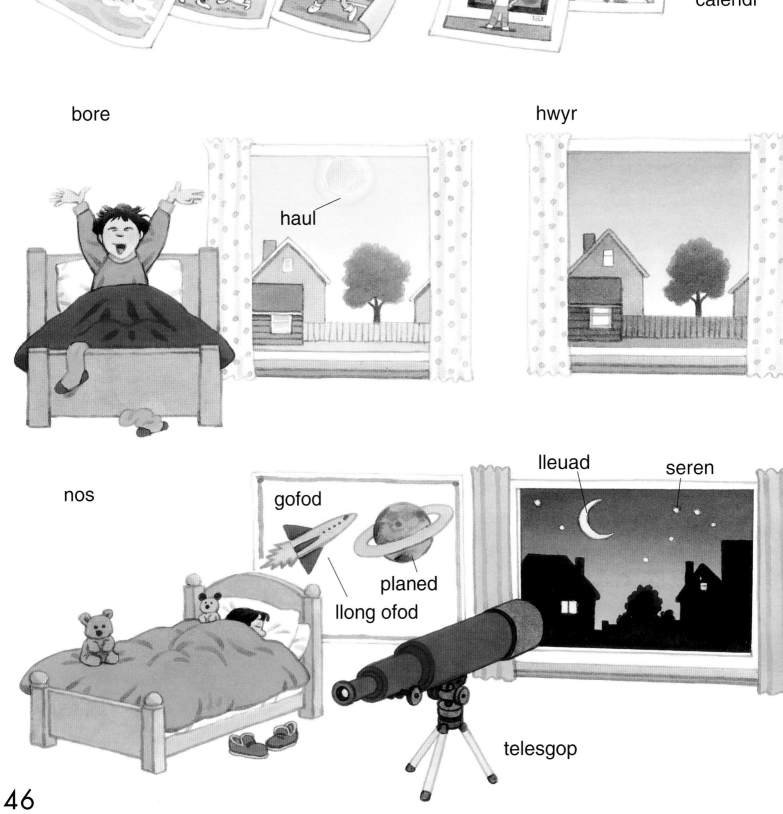

haul

nos

gofod

lleuad

seren

planed

llong ofod

telesgop

Dyddiau arbennig

pen-blwydd

cerdyn pen-blwydd

cannwyll

anrheg

teisen ben-blwydd

gwyliau

dydd priodas

morwyn briodas

priodferch

priodfab

camera

ffotograffydd

dydd Nadolig

carw

sled

Siôn Corn

coeden Nadolig

47

Tywydd

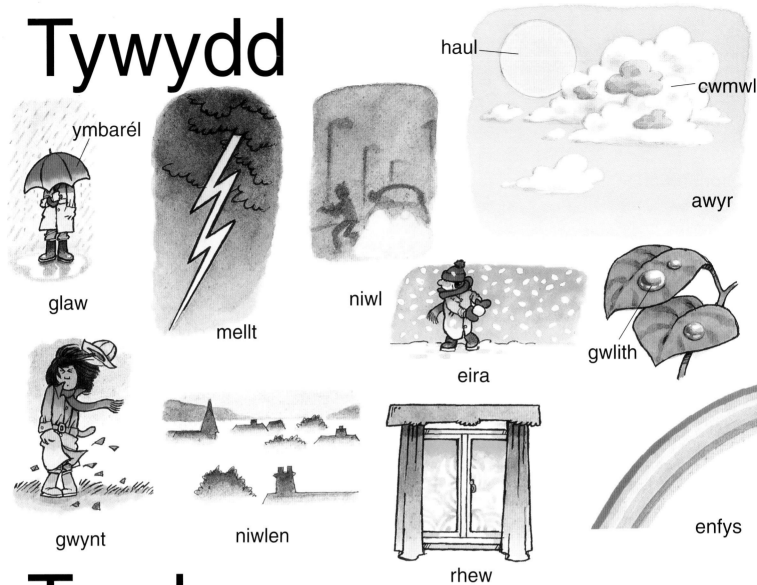

ymbarél

glaw

mellt

niwl

eira

haul

cwmwl

awyr

gwlith

gwynt

niwlen

rhew

enfys

Tymhorau

gwanwyn

haf

hydref

gaeaf

Anwesion

milfeddyg

hamster

cwt

mochyn gini

ci bach

ci

byji

parot

bwyd

pig

caneri

cwningen

cawell

cath

basged

llygoden fach

cath fach

pysgod aur

Chwaraeon

pêl-fasged

rhwyfo

bwrdd eira

hwylio

bwrdd hwylio

criced

carate

raced

tennis

pêl-droed Americanaidd

gymnasteg

bat

pêl

gwialen bysgota

pysgota

abwyd

rygbi

dawnsio

pêl-fas

plymio

pwll nofio

nofio

ras

targed

saethyddiaeth

honghedfan

helm

loncian

reidio beic

dringo

jwdo

ceffyl

merlyn

cwpwrdd

pêl-droed

marchogaeth

ystafell newid

badminton

esgid sglefrio

sglefrio ar iâ

tennis bwrdd

polyn sgio

lifft

sgi

sgio

ymaflyd swmo

51

Lliwiau

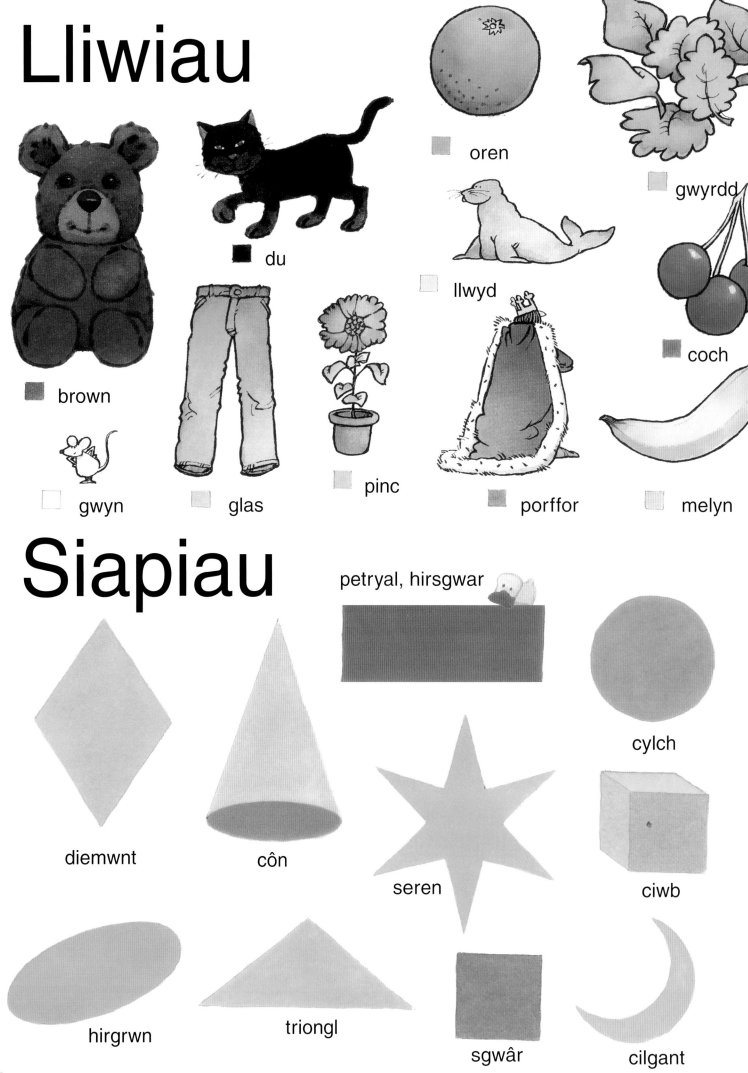

oren

gwyrdd

du

llwyd

coch

brown

gwyn glas pinc porffor melyn

Siapiau

petryal, hirsgwar

cylch

diemwnt côn seren ciwb

hirgrwn triongl sgwâr cilgant

Rhifau

1 un

2 dau

3 tri

4 pedwar

5 pump

6 chwech

7 saith

8 wyth

9 naw

10 deg

11 un deg un

12 un deg dau

13 un deg tri

14 un deg pedwar

15 un deg pump

16 un deg chewch

17 un deg saith

18 un deg wyth

19 un deg naw

20 dau ddeg

Y ffair

chwirligwgan

mat

tŵr llithro

olwyn fawr

trên sgrech

popcorn

hŵp-la

trên colli cylla

stondin saethu

ceir clatsio

candi fflos

54

Y syrcas

trapîs

cerddwr
rhaff dynn

polyn

rhaff dynn

beiciwr un-olwyn

ysgol raffau

rhwyd
ddiogelwch

cwningen

acrobatiaid

syrcas-feistr

ci

cylch

het

siwglwr

seindorf

marchoges heb gyfrwy

clown

55

Geiriau heb luniau

Words without pictures

Y misoedd
The months

Ionawr *January*
Chwefror *February*
Mawrth *March*
Ebrill *April*
Mai *May*
Mehefin *June*
Gorffennaf *July*
Awst *August*
Medi *September*
Hydref *October*
Tachwedd *November*
Rhagfyr *December*

Dyddiau pwysig
Important days

pen-blwydd *birthday*
Nos Galan *New Year's Eve*
Dydd Calan *New Year's Day*
Dydd Mawrth Ynyd *Shrove Tuesday*
Dydd Gŵyl Dewi *St David's Day*
Sul y Mamau *Mothers' Day*
Diwrnod Ffŵl Ebrill *April Fools' Day*
Sul y Blodau *Palm Sunday*
Dydd Gwener y Groglith *Good Friday*
Dydd Sul y Pasg *Easter Sunday*
y Pasg *Easter*
Gŵyl Ifan *Midsummer Day*
Nos Galan Gaeaf *Hallowe'en*
Noson Guto Ffowc *Guy Fawkes' Night*
Noswyl Nadolig *Christmas Eve*
Dydd Nadolig *Christmas Day*
Gŵyl Steffan *Boxing Day*
gwyliau'r Pasg *Easter holidays*
gwyliau'r haf *summer holidays*
gwyliau'r Nadolig *Christmas holidays*
hanner tymor *half-term*

Gwledydd
Countries

Cymru *Wales*
Ffrainc *France*
Gwlad Groeg *Greece*
Iwerddon *Ireland*
Lloegr *England*
Sbaen *Spain*
Y Swistir *Switzerland*
Yr Alban *Scotland*
Yr Almaen *Germany*
Yr Eidal *Italy*
Yr Iseldiroedd *Holland*

Trefi a dinasoedd
Towns and cities

Abergwaun *Fishguard*
Aberhonddu *Brecon*
Abertawe *Swansea*
Aberteifi *Cardigan*
Caer *Chester*
Caerdydd *Cardiff*
Caerfyrddin *Carmarthen*
Caerffili *Caerphilly*
Caergybi *Holyhead*
Cas-gwent *Chepstow*
Casnewydd *Newport*
Castell-nedd *Neath*
Dinbych *Denbigh*
Glynebwy *Ebbw Vale*
Hwlffordd *Haverfordwest*
Lerpwl *Liverpool*
Llundain *London*
Manceinion *Manchester*
Pen-y-bont ar Ogwr *Bridgend*
Trefynwy *Monmouth*
Y Drenewydd *Newtown*
Yr Wyddgrug *Mold*

Geiriau mewn trefn

The words in order

Dyma restr o'r geiriau sy yn y lluniau.
   Maen nhw yn nhrefn y wyddor.
   Ar ôl llawer o'r geiriau fe welwch chi'r ffurf luosog, neu'r ffurf unigol (gydag *un*), mewn cromfachau. Fe welwch chi hefyd naill ai *g*, sy'n dangos bod y gair yn wrywaidd, neu *b*, sy'n dangos ei fod yn fenywaidd.
   Ar ôl pob gair fe welwch chi rif y tudalen lle mae'n ymddangos, a'i ystyr yn Saesneg.

This is a list of all the words in the pictures.
   They are in alphabetical order.
   After many of the words you will see the plural form, or the singular form (shown by un*), in brackets. You will also see either* g*, which shows that the word is masculine, or* b*, which shows that it is feminine.*
   After every word you will see the number of the page where it appears, and its meaning in English.

A

abiéc *g* 29 *alphabet*
abwyd *g* 50 *bait*
abwydyn (abwydod) *g* 8 *worm*
acrobat (-iaid) *gb* 55 *acrobat*
actor (-ion) *g* 40 *actor*
actores (-au) *b* 40 *actress*
acwariwm *g* 29 *aquarium*
adain (adenydd) *b* 18 *wing*
adar (*un* aderyn) *g* 17 *birds*
ael (-iau) *b* 38 *eyebrow*
afal (-au) *g* 30 *apple*
afal pîn (afalau pîn) *g* 35 *pineapple*
afanc (-od) *g* 19 *beaver*
afon (-ydd) *b* 22 *river*
agos 44 *near*
allwedd (-au) *b* 6 *key*
ambiwlans (-ys) *g* 12 *ambulance*
anodd 45 *difficult*
anrheg (-ion) *b* 32, 47 *present*
anwesion (*un* anwesyn) *g* 49 *pets*
ar agor 44 *open*
ar gau 44 *closed*
ar lan y môr 26 *at the seaside*
aradr (erydr) *g* 25 *plough*
araf 45 *slow*
arian *g* 35 *money*
arlunydd (arlunwyr) *g* 40 *artist*
aros 43 *to wait*
arth (eirth) *gb* 18 *bear*
arth wen (eirth gwyn) *b* 19 *polar bear*
arwyddbost (arwyddbyst) *g* 22 *signpost*
asgwrn (esgyrn) *g* 9 *bone*
astell (estyll) *b* 10 *plank*
asyn (-nod) *g* 27 *donkey*
athrawes (-au) *b* 29 *teacher (lady)*
awyr *b* 48 *sky*
awyren (-nau) *b* 21 *aeroplane*

B

baban (-od) *g* 17 *baby*
bach 44 *small*
bachgen (bechgyn) *g* 28 *boy*
badminton *g* 51 *badminton*
bag llaw (bagiau llaw) *g* 35 *handbag*
bag plastig (bagiau plastig) *g* 34 *plastic bag*
balŵn (-s) *g* 32 *balloon*
balŵn awyr-boeth *g* 22 *hot-air balloon*
banana (-s) *g* 31 *banana*
baner (-i) *b* 26 *flag*
bara *g* 33 *bread*
barbwr *g* 41 *barber*
barcut (-iaid) *g* 16 *kite*
barnwr (barnwyr) *g* 40 *judge*
basged (-i) *b* 31, 35, 49 *basket*
basged sbwriel (basgedi sbwriel) *b* 29 *wastepaper basket*
basn ymolchi (basnau ymolchi) *g* 4 *washbasin*
bat (-iau) *g* 50 *bat*
batri (-s) *g* 20 *battery*
bath *g* 4 *bath*
bathodyn (-nau) *g* 29 *badge*
beic (-iau) *g* 13 *bicycle*
beic modur (beiciau modur) *g* 13 *motor cycle*
beiciwr un-olwyn *g* 55 *trick cyclist*
bêl gwellt (bêls gwellt) *g* 25 *straw bale*
berfa (berfâu) *b* 8 *wheelbarrow*
beudy (beudai) *g* 25 *cowshed*
bin sbwriel (biniau sbwriel) *g* 8 *dustbin*
bisgeden (bisgedi) *b* 33 *biscuit*
blaidd (bleiddiaid) *g* 18 *wolf*
blawd *g* 35 *flour*
blawd llif *g* 10 *sawdust*
bleind (-s) *g* 29 *blind*
bloc (-iau) *g* 14 *block*
blodau (*un* blodyn) *g* 8 *flowers*

blodfresychen (blodfresych) *b* 34 *cauliflower*
blwch (blychau) *g* 29 *box*
blwch offer (blychau offer) *g* 10 *tool box*
boch (-au) *b* 38 *cheek*
bol (-iau) *g* 38 *tummy*
bollt (-au) *b* 11 *bolt*
boncyff (-ion) *g* 23 *log*
boned *b* 21 *bonnet*
bord (-ydd) *b* 5 *table*
bore (-au) *g* 46 *morning*
botymau (*un* botwm) *g* 39 *buttons*
braich (breichiau) *b* 38 *arm*
brawd (brodyr) *b* 41 *brother*
brecwast (-au) *g* 36 *breakfast*
brechdan (-au) *b* 33 *sandwich*
brest *b* 38 *chest*
bresychen (bresych) *b* 34 *cabbage*
briciau (*un* bricsen) *b* 8 *bricks*
bricyllen (bricyll) *b* 34 *apricot*
brigau (*un* brigyn) *g* 9 *sticks*
broch (-od) *g* 22 *badger*
broga (-od) *g* 16 *frog*
brown 52 *brown*
brwnt 44 *dirty*
brws (-ys) *g* 5, 7, 29 *brush*
brws dannedd (brwsys dannedd) *g* 4 *toothbrush*
bryn (-iau) *g* 23 *hill*
buarth (-au) *g* 12 *playground*
budr 44 *dirty*
bugail (bugeiliaid) *g* 25 *shepherd*
buwch (gwartheg) *b* 25 *cow*
buwch goch gota *b* 8 *ladybird*
bwa (bwâu) *g* 15 *bow*
bwced (-i) *g* 26 *bucket*
bwcl (byclau) *g* 39 *buckle*
bwgan brain (bwganod brain) *g* 25 *scarecrow*
bwrdd (byrddau) *g* 5 *table*
bwrdd eira *g* 50 *snow board*

bwrdd gwyn *g* 28 *white board*
bwrdd hwylio *g* 50 *windsurfing board*
bwrdd sglefrio *g* 17 *skateboard*
bwrdd smwddio *g* 6 *ironing board*
bws (bysiau) *g* 12 *bus*
bwyd (-ydd) *g* 36, 49 *food*
bwyell (bwyeill) *b* 11 *axe*
bwyta 42 *to eat*
byffalo (-s) *g* 19 *buffalo*
byffers 20 *buffers*
byji (-s) *g* 49 *budgie*
bylb (bylbiau) *g* 33 *bulb*
byr 45 *short*
byrgyr (-s) *g* 37 *burger*
bys (bysedd) *g* 38 *finger*
bys bawd (bodiau) *g* 38 *thumb*
bysedd fy nhraed 38 *my toes*
byw 45 *alive*

C

cacynen (cacwn) *b* 8 *wasp*
cadair (cadeiriau) *b* 5 *chair*
cadair draeth *b* 27 *deckchair*
cadair olwyn *b* 30 *wheelchair*
cadair wthio *b* 17 *pushchair*
cadw-mi-gei *g* 15 *money box*
cadwyn bapur (cadwynau papur) *b* 32 *paper chain*
cae (-au) *g* 25 *field*
caffe (-s) *g* 12 *café*
caled 45 *hard*
calendr (-au) *g* 10, 46 *calendar*
camel (-od) *g* 19 *camel*
camera (camerâu) *g* 14, 47 *camera*
camlas (camlesi) *b* 23 *canal*
can dŵr (caniau dŵr) *g* 8 *watering can*
candi fflos *g* 54 *candy floss*
caneri (-s) *g* 49 *canary*
cangarŵ (-od) *g* 18 *kangaroo*
cannwyll (canhwyllau) *b* 32, 47 *candle*
cantorion (*un* canwr) *g* 40 *singers*
canu 43 *to sing*
canŵ (-s) *g* 27 *canoe*
cap (-iau) *g* 39 *cap*
car (ceir) *g* 13 *car*
car heddlu (ceir heddlu) *g* 12 *police car*
car rasio (ceir rasio) *g* 15 *racing car*
carafán (carafanau) *g* 23 *caravan*
carate *g* 50 *karate*
cardiau (*un* cerdyn) *g* 31 *cards*
cardigan (-s) *b* 39 *cardigan*
cario 42 *to carry*
carped (-i) *g* 4 *carpet*
carrai (careiau) *b* 39 *shoelace*
carw (ceirw) *g* 19, 47 *deer*
casét (casetiau) *g* 33 *cassette*
casgen (-ni) *b* 11 *barrel*

casglu 43 *to gather*
castell (cestyll) *g* 14 *castle*
castell tywod *g* 26 *sandcastle*
cath (-od) *b* 49 *cat*
cath fach (cathod bach) *b* 49 *kitten*
cawell (cewyll) *g* 49 *cage*
cawl *g* 37 *soup*
cawod (-ydd) *b* 4 *shower*
caws *g* 33 *cheese*
cefn (-au) *g* 38, 45 *back*
cefnder (cefndryd) *g* 41 *cousin (male)*
ceffyl (-au) *g* 25, 51 *horse*
ceffyl siglo *g* 15 *rocking horse*
ceg (-au) *b* 38 *mouth*
cegin (-au) *b* 6 *kitchen*
ceiliog (-od) *g* 24 *cockerel*
ceir clatsio (*un* car clatsio) *g* 54 *dodgems*
ceiriosen (ceirios) *b* 33 *cherry*
cenawon llew (*un* cenau llew) *g* 18 *lion cubs*
cenawon llwynog (*un* cenau llwynog) *g* 23 *fox cubs*
cenhinen (cennin) *b* 34 *leek*
cerbyd (-au) *g* 20 *carriage*
cerdyn pen-blwydd (cardiau pen-blwydd) *g* 47 *birthday card*
cerdded 43 *to walk*
cerddwr rhaff dynn *g* 55 *tightrope walker*
cerrig (*un* carreg) *b* 22 *stones*
cerrig mân 27 *pebbles*
cert (ceirt) *b* 24 *cart*
ces (-ys) *g* 20 *case*
ci (cŵn) *g* 16, 49, 55 *dog*
ci bach (cŵn bach) *g* 49 *puppy*
ci defaid (cŵn defaid) *g* 24 *sheepdog*
cig *g* 35 *meat*
cigydd (-ion) *g* 40 *butcher*
cilgant *g* 52 *crescent*
cinio (ciniawau) *g* 36 *dinner*
cist (-iau) *b* 21 *boot (of car)*
cist ddroriau *b* 5 *chest of drawers*
ciwb (-iau) *g* 52 *cube*
cledrau (*un* cledren) *b* 20 *rails*
cleren (clêr) *b* 11 *fly*
cloc (-iau) *g* 6 *clock*
clogwyn (-i) *g* 27 *cliff*
clorian (-nau) *b* 35 *scales*
clown (-iaid) *g* 55 *clown*
clust (-iau) *b* 38 *ears*
clustog (-au) *b* 4 *cushion*
clwt (clytiau) *g* 31 *nappy*
clwyd (-i) *b* 16 *gate*
coch 52 *red*
coed 11, 17 *wood, trees*
coeden (coed) *b* 9, 17 *tree*
coeden Nadolig (coed Nadolig) *b* 47 *Christmas tree*

coedwig (-oedd) *b* 22 *wood, forest*
coelcerth (-i) *b* 9 *bonfire*
coes (-au) *b* 38 *leg*
coffi *g* 36 *coffee*
coginio 43 *to cook*
cogydd (-ion) *g* 40 *cook*
colomen (-nod) *b* 8 *pigeon*
comic (-s) *g* 31 *comic*
côn (conau) *g* 52 *cone*
corryn (corynnod) *g* 11 *spider*
cortyn (-nau) *g* 17 *string*
cot (-iau) *b* 39 *coat*
craen (-iau) *g* 15 *crane*
cragen (cregyn) *b* 26 *shell*
cranc (-od) *g* 26 *crab*
creigiau (*un* craig) *b* 23 *rocks*
creision 33 *crisps*
crempog (-au) *b* 36 *pancake*
creon (-au) *g* 29 *crayon*
crib (-au) *b* 5 *comb*
cribin (-iau) *b* 9 *rake*
criced *g* 50 *cricket*
crocodeil (-od) *g* 18 *crocodile*
croesfan (-nau) *g* 13 *crossing*
cropian 42 *to crawl*
crwban (-od) *g* 19 *tortoise*
cryno-ddisg (-iau) *g* 4 *CD*
crys (-au) *g* 39 *shirt*
crys chwys (crysau chwys) *g* 39 *sweatshirt*
crys T (crysau T) *g* 39 *T-shirt*
cucumer (-au) *g* 34 *cucumber*
cuddio 43 *to hide*
cwcer (-s) *g* 7 *cooker*
cwch (cychod) *g* 15 *boat*
cwch camlas (cychod camlas) *g* 23 *canal boat*
cwch gwenyn (cychod gwenyn) *g* 8 *beehive*
cwch hwylio (cychod hwylio) *g* 17, 26 *sailing boat*
cwch modur (cychod modur) *g* 26 *motor boat*
cwch pysgota (cychod pysgota) *g* 27 *fishing boat*
cwch rhwyfo (cychod rhwyfo) *g* 27 *rowing boat*
cwmwl (cymylau) *g* 48 *cloud*
cwningen (cwningod) *b* 49, 55 *rabbit*
cwpan (-au) *g* 7 *cup*
cwpwrdd (cypyrddau) *g* 7 *cupboard*
cwpwrdd (cypyrddau) *g* 51 *locker*
cwpwrdd dillad *g* 5 *wardrobe*
cwpwrdd rhew *g* 6 *refrigerator*
cwt (cytiau) *g* 8 *shed*
cwt (cytiau) *g* 49 *kennel*
cwt ieir *g* 24 *hen house*
cwt mochyn *g* 24 *pigsty*
cyflym 45 *fast*

58

cyfrifiadur (-on) *g* 31 *computer*
cyfrwy (-au) *g* 25 *saddle*
cylch (-oedd) *g* 52 *circle*
cylch (-oedd) *g* 55 *hoop*
cyllell boced (cyllyll poced) *b* 10 *penknife*
cyllyll (*un* cyllell) *b* 7 *knives*
cymryd 43 *to take*
cynfas (-au) *g* 5 *sheet*
cynffon (-nau) *b* 18 *tail*
cyntaf 44 *first*
cyntedd (-au) *g* 5 *hall*
cyrn (*un* corn) *g* 19 *horns*
cysgu 43 *to sleep*
cyw iâr (cywion ieir) *g* 24, 37 *chicken*

Ch

chwaer (chwiorydd) *b* 41 *sister*
chwarae 43 *to play*
chwaraeon 50 *sport*
chwerthin 42 *to laugh*
chwibanogl (-au) *b* 14 *whistle*
chwirligwgan *g* 54 *roundabout*
chwistrell (-au) *b* 30 *syringe*
chwith 44 *left*
chwythu 43 *to blow*

D

da 44 *good*
dail (*un* deilen) *b* 9 *leaves*
dal 42 *to catch*
dan 44 *under*
dannedd (*un* dant) *g* 38 *teeth*
darllen 43 *to read*
dawnsio 42 *to dance*
dawnsio 50 *dance*
dawnsiwr (dawnswyr) *g* 40 *dancer*
dawnswraig *b* 40 *dancer (female)*
de 45 *right*
defaid (*un* dafad) *b* 25 *sheep*
deintydd (-ion) *g* 41 *dentist*
desg (-iau) *b* 28 *desk*
diemwnt (-au) *g* 52 *diamond*
diffoddwr tân (diffoddwyr tân) *g* 40
    fireman
dillad 39 *clothes*
disiau (*un* dis) *g* 14 *dice*
dol (-iau) *b* 14 *doll*
dolen drws *b* 29 *door handle*
dolffin (-iaid) *g* 18 *dolphin*
draenog (-od) *g* 22 *hedgehog*
dringo 43 *to climb*
dringo 51 *climbing*
dril (-iau) *g* 10, 12 *drill*
drôr (droriau) *b* 7 *drawer*
dros 44 *over*

drwg 44 *bad*
drws (drysau) *g* 6 *door*
drych (-au) *g* 5 *mirror*
drymiau (*un* drwm) *g* 14 *drums*
du 52 *black*
dwfe (-s) *g* 5 *duvet*
dŵr *g* 4 *water*
dwster (-s) *g* 7 *duster*
dydd (-iau) *g* 46 *day*
dydd Gwener *g* 46 *Friday*
dydd Iau *g* 46 *Thursday*
dydd Llun *g* 46 *Monday*
dydd Mawrth *g* 46 *Tuesday*
dydd Mercher *g* 46 *Wednesday*
dydd Nadolig *g* 47 *Christmas day*
dydd priodas *g* 47 *wedding day*
dydd Sadwrn *g* 46 *Saturday*
dydd Sul *g* 46 *Sunday*
dyddiau arbennig 47 *special days*
dyn (-ion) *g* 12 *man*

E

eira *g* 48 *snow*
eirinen (eirin) *b* 35 *plum*
eirinen wlanog (eirin gwlanog) *b* 34
    peach
eistedd 43 *to sit*
eliffant (-od) *g* 19 *elephant*
elyrch (*un* alarch) *g* 17 *swans*
enfys *b* 48 *rainbow*
erial (-au) *b* 12 *aerial*
eryr (-od) *g* 18 *eagle*
esgid (-iau) *b* 39 *shoe*
esgid sglefrio (esgidiau sglefrio) *b* 51
    ice skate
esgidiau glaw 39 *wellingtons*
esgidiau ymarfer 39 *trainers*
estrys (-iaid) *g* 18 *ostrich*
ewythr (-edd) *g* 41 *uncle*

F

fan (-iau) *b* 13 *van*
feis (-iau) *b* 10 *vice*
fest (-iau) *b* 39 *vest*
fi 38 *me*
fideo (-s) *b* 5 *video*
fy nillad 39 *my clothes*

Ff

ffa (*un* ffeuen) *b* 35 *beans*
ffair (ffeiriau) *b* 54 *fair*
ffatri (ffatrïoedd) *b* 13 *factory*
ffedog (-au) *b* 6 *apron*

ffeil (-iau) *b* 11 *file*
ffenestr (-i) *b* 32 *window*
ffens (-ys) *b* 17, 25 *fence*
fferm (-ydd) *b* 24 *farm*
ffermdy (ffermdai) *g* 25 *farmhouse*
ffermwr (ffermwyr) *g* 25 *farmer*
fflat (-iau) *b* 13 *flat*
ffon (ffyn) *b* 31 *walking stick*
ffôn (ffonau) *g* 5 *telephone*
fforch (ffyrch) *b* 9 *fork (garden)*
ffordd (ffyrdd) *b* 22 *road*
ffotograff (-au) *g* 28 *photograph*
ffotograffydd (ffotograffwyr) *g* 47
    photographer
ffrog (-iau) *b* 39 *dress*
ffrynt *g* 45 *front*
ffyn baglau 30 *crutches*
ffyn bwyta 37 *chopsticks*
ffyrc (*un* fforc) *b* 6 *forks (table)*

G

gaeaf (-au) *g* 48 *winter*
gafr (geifr) *b* 19 *goat*
gardd (gerddi) *b* 8 *garden*
garej (-ys) *g* 20 *garage*
geiriau gwrthwyneb 44 *opposite*
    words
gellygen (gellyg) *b* 31 *pear*
gên *b* 38 *chin*
gitâr (gitarau) *b* 14 *guitar*
glân 44 *clean*
glas 52 *blue*
glaswellt *g* 9 *grass*
glaw *g* 48 *rain*
gleiniau (*un* glain) *g* 14 *beads*
glôb *g* 29 *globe*
glud *g* 28 *glue*
gobennydd (gobenyddion) *g* 5 *pillow*
gofod *g* 46 *space*
gofodwr (gofodwyr) *g* 15, 40
    spaceman
golau 45 *light*
golchfa geir *b* 21 *car wash*
goleuadau blaen 20 *headlights*
goleuadau traffig 13 *traffic lights*
goleudy (goleudai) *g* 26 *lighthouse*
gorila (-s) *g* 18 *gorilla*
gorsaf reilffordd (gorsafoedd
    rheilffordd) *b* 20 *railway station*
grawnfwyd (-ydd) *g* 36 *cereal*
grawnffrwyth (-au) *g* 34 *grapefruit*
grawnwin (*un* grawnwinen) *b* 31
    grapes
grisiau 5 *stairs*
grisiau (*un* gris) *g* 13 *steps*
gwadd (-od) *b* 23 *mole*
gwaelod *g* 44 *bottom*

gwag 45 *empty*
gwair *g* 25 *hay*
gwallt *g* 38 *hair*
gwanwyn *g* 48 *spring*
gwarbac (-iau) *g* 20 *backpack*
gwdihŵ (gwdihwiaid) *b* 23 *owl*
gwddf (gyddfau) *g* 38 *neck*
gwe corryn *b* 11 *cobweb*
gwefus (-au) *b* 38 *lip*
gweinydd (-ion) *g* 41 *waiter*
gweinyddes (-au) *b* 41 *waitress*
gweithdy (gweithdai) *g* 10 *workshop*
gwely (-au) *g* 4 *bed*
gwely blodau (gwelyau blodau) *g* 17
    flower bed
gwelltyn (-nau) *g* 32 *straw*
gwenu 42 *to smile*
gwenynen (gwenyn) *b* 9 *bee*
gweogion (*un* gweogyn) 27 *flippers*
gwerthu 43 *to sell*
gwesty (gwestai) *g* 12 *hotel*
gweu 42 *to knit*
gwialen bysgota *b* 50 *fishing rod*
gwisg ffansi (gwisgoedd ffansi) *b* 33
    fancy dress
gwisg nofio (gwisgoedd nofio) *b* 27
    swimsuit
gwiwer (-od) *b* 22 *squirrel*
gwlân cotwm *g* 30 *cotton wool*
gwlith *g* 48 *dew*
gwlyb 44 *wet*
gwn (gynnau) *g* 15 *gun*
gŵn gwisgo *g* 30 *dressing gown*
gŵn nos *g* 31 *nightdress*
gwneud model 42 *to make a model*
gwneud pethau 42 *doing things*
gwnïo 43 *to sew*
gŵr (gwŷr) *g* 41 *husband*
gwraig (gwragedd) *b* 13, 41 *woman,*
    wife
gwrando 42 *to listen*
gwregys (-au) *g* 39 *belt*
gwrych (-oedd) *g* 9 *hedge*
gwthio 43 *to push*
gwydrau (*un* gwydryn) *g* 6 *glasses*
gwyddau (*un* gŵydd) *b* 24 *geese*
gwyfyn (-od) *g* 23 *moth*
gwylan (-od) *b* 26 *seagull*
gwyliau 47 *holidays*
gwylio 43 *to watch*
gwymon *g* 27 *seaweed*
gwyn 52 *white*
gwynt (-oedd) *g* 48 *wind*
gwyrdd 52 *green*
gymnasteg *b* 50 *gymnastics*
gyrrwr (gyrwyr) *g* 20, 41 *driver*
gyrrwr bws *g* 41 *bus driver*
gyrrwr lori *g* 41 *lorry driver*
gyrrwr trên *g* 20 *train driver*

H

hadau (*un* hedyn) *g* 8 *seeds*
haearn smwddio *g* 7 *iron*
haf (-au) *g* 48 *summer*
halen *g* 36 *salt*
ham *g* 37 *ham*
hambwrdd (hambyrddau) *g* 30 *tray*
hamster (-s) *g* 49 *hamster*
hances (-i) *b* 39 *handkerchief*
hances bapur (hancesi papur) *b* 31
    tissue
haul *g* 46, 48 *sun*
hawdd 45 *easy*
helm (-au) *b* 51 *helmet*
hen 45 *old*
het (-iau) *b* 39, 55 *hat*
het haul (hetiau haul) *b* 27 *sunhat*
hipo (-s) *g* 18 *hippo*
hir 45 *long*
hirgrwn 52 *oval*
hirsgwar *g* 52 *rectangle*
hoelion (*un* hoelen) *b* 11 *nails*
hof (-iau) *b* 8 *hoe*
hofrennydd (hofrenyddion) *g* 20
    helicopter
honghedfan 51 *hang-gliding*
hosan (-au) *b* 39 *sock*
hufen *g* 36 *cream*
hufen iâ *g* 16 *ice cream*
hŵp-la *g* 54 *hoop-la*
hwyaden (hwyaid) *b* 17, 24 *duck*
hwyaid bach (*un* hwyaden fach) 17, 24
    ducklings
hwylio 50 *sailing*
hwyr *g* 46 *evening*
hydref *g* 48 *autumn*

I

i fyny 45 *up*
i lawr 45 *down*
iard *b* 12 *playground*
ieir (*un* iâr) *b* 25 *hens*
injan (-s) *b* 20 *engine*
injan dân (injans tân) *b* 13 *fire engine*
iogwrt *g* 35 *yoghurt*
isel 45 *low*
îsl *g* 29 *easel*

J

jac codi baw *g* 12 *digger*
jam (-iau) *g* 36 *jam*
jar (-iau) *b* 35 *jar*
jig-so (-s) *g* 30 *jigsaw*

jîns *g* 39 *jeans*
jiráff (jiraffod) *g* 18 *giraffe*
jwdo *g* 51 *judo*

L

lamp (-au) *b* 5, 29 *lamp*
lemon (-au) *g* 34 *lemon*
letysen (letys) *b* 34 *lettuce*
lifft (-iau) *b* 30 *lift*
lifft (-iau) *b* 51 *chairlift*
lindysyn (lindys) *g* 9 *caterpillar*
loncian 51 *jogging*
lori (lorïau) *b* 13 *lorry*
lori dynnu *b* 21 *breakdown lorry*

Ll

llaeth *g* 36 milk
llafnau rholio 16 *roller blades*
llaid *g* 24 *mud*
llain lanio *b* 21 *runway*
llaw (dwylo) *b* 38 *hand*
llawer 44 *many*
llawn 45 *full*
llawr (lloriau) *g* 29 *floor*
lle talu (lleoedd talu) *g* 35 *checkout*
llefrith *g* 36 *milk*
llen (-ni) *b* 30 *curtain*
lleuad (-au) *b* 46 *moon*
llew (-od) *g* 18 *lion*
llewpart (-iaid) *g* 19 *leopard*
lliain bwrdd *g* 33 *tablecloth*
lliain sychu llestri *g* 7 *tea cloth*
llif (-iau) *b* 10 *saw*
llifddor (-au) *b* 22 *lock (canal)*
llithren (-ni) *b* 16 *slide*
lliw (-iau) *g* 52 *colour*
llo (lloi) *g* 25 *calf*
llong (-au) *b* 27 *ship*
llong danfor (llongau tanfor) *b* 14
    submarine
llong ofod (llongau gofod) *b* 46
    spaceship
llong olew (llongau olew) *b* 27 *oil*
    tanker
llun (-iau) *g* 5, 28 *picture*
llwy (-au) *b* 7 *spoon*
llwy de (llwyau te) *b* 6 *teaspoon*
llwybr (-au) *g* 9, 16 *path*
llwyd 52 *grey*
llwynog (-od) *g* 22 *fox*
llyfr (-au) *g* 28 *book*
llyfr nodiadau *g* 29 *notebook*
llyffant (-od) *g* 23 *toad*
llygad (llygaid) *g* 38 *eye*
llygoden fach (llygod bach) *b* 49 *mouse*

llyn (-noedd) *g* 16 *lake*
llyn (-noedd) *g* 24 *pond*
llythyr (-au) *g* 5 *letter*

M

mab (meibion) *g* 41 *son*
madarchen (madarch) *b* 34 *mushroom*
madfall (-od) *b* 22 *lizard*
maes awyr (meysydd awyr) *g* 21 *airport*
mafonen (mafon) *b* 33 *raspberry*
mainc (meinciau) *b* 11 *workbench*
mainc (meinciau) *b* 16 *bench*
malu 42 *to break*
malwen (malwod) *b* 8 *snail*
mam (-au) *b* 41 *mother*
mam-gu *b* 41 *grandmother*
map (-iau) *g* 29 *map*
marblys (*un* marblen) *b* 15 *marbles*
marchnad (-oedd) *b* 13 *market*
marchogaeth 51 *riding*
marchoges heb gyfrwy *b* 55 *bareback rider (lady)*
marw 45 *dead*
masg (-iau) *g* 15 *mask*
mat (-iau) *g* 5, 54 *mat*
matsys (*un* matsien) *b* 7 *matches*
mawr 44 *big*
mecanydd (-ion) *g* 40 *mechanic*
meddal 45 *soft*
meddwl 42 *to think*
meddyg (-on) *g* 30, 31 *doctor*
mefusen (mefus) *b* 33 *strawberry*
mêl *g* 36 *honey*
melin wynt (melinau gwynt) *b* 22 *windmill*
melon (-au) *g* 34 *melon*
melyn 52 *yellow*
melysyn (melysion) *g* 32 *sweet*
mellt 48 *lightning*
menig (*un* maneg) *b* 39 *gloves*
menyn *g* 33 *butter*
merch (-ed) *b* 29 *girl*
merch (-ed) *b* 41 *daughter*
merlyn (merlod) *g* 51 *pony*
milfeddyg (-on) *g* 49 *vet*
milwr (milwyr) *g* 15 *soldier*
moch (*un* mochyn) *g* 25 *pigs*
moch bach (*un* mochyn bach) *g* 25 *piglets*
mochyn daear (moch daear) *g* 22 *badger*
mochyn gini (moch gini) *g* 49 *guinea pig*
modrwy (-au) *b* 14 *ring*
modryb (-edd) *b* 41 *aunt*
moddion 30 *medicine*
mop (-iau) *g* 7 *mop*

môr (moroedd) *g* 26 *sea*
morfil (-od) *g* 19 *whale*
morlo (morloi) *g* 19 *seal*
moronen (moron) *b* 34 *carrot*
morthwyl (-ion) *g* 11 *hammer*
morwr (morwyr) *g* 26 *sailor*
morwyn briodas (morynion priodas) *b* 47 *bridesmaid*
mwg *g* 9 *smoke*
mwnci (mwncïod) *g* 18 *monkey*
mynydd (-oedd) *g* 22 *mountain*
mynydd iâ (mynyddoedd iâ) *g* 18 *iceberg*

N

naddion 10 *shavings*
nain (neiniau) *b* 41 *grandmother*
nant (nentydd) *b* 22 *stream*
neclis (-au) *b* 14 *necklace*
neidio 42 *to jump*
neidr (nadredd) *b* 19 *snake*
nenfwd (nenfydau) *g* 29 *ceiling*
newydd 45 *new*
nionyn (nionod) *g* 34 *onion*
niwl *g* 48 *fog*
niwlen *b* 48 *mist*
nofio 50 *swimming*
nos (-au) *b* 46 *night*
nyrs (-ys) *b* 30 *nurse*
nytiau (*un* nyten) *b* 11 *nuts*
nyth (-od) *b* 9 *nest*

O

oer 44 *cold*
olaf 44 *last*
olew *g* 21 *oil*
ôl-gerbyd (-au) *g* 13 *trailer*
olwyn (-ion) *b* 20 *wheel*
olwyn fawr *b* 54 *big wheel*
omlet (-i) *g* 37 *omelette*
oren 52 *orange (colour)*
oren (-au) *g* 31, 33 *orange (fruit)*
organ geg *b* 14 *mouth organ*
oriawr *b* 30 *watch*

P

padell ffrio *b* 7 *frying pan*
padell lwch *b* 7 *dustpan*
padl (-au) *g* 27 *paddle*
paentiau 15, 28 *paints*
paentiau wyneb 15 *face paints*
pafin *g* 12 *pavement*
palu 42 *to dig*
panda (-s) *g* 18 *panda*

papur *g* 29 *paper*
papur llyfnu *g* 10 *sandpaper*
papur newydd (papurau newydd) *g* 5 *newspaper*
papur tŷ bach *g* 4 *toilet paper*
parasiwt (-s) *g* 15 *parachute*
parc (-au) *g* 16 *park*
parot (-iaid) *g* 49 *parrot*
parti (partïon) *g* 32 *party*
past dannedd *g* 4 *toothpaste*
pawen (-nau) *b* 18 *paw*
pebyll (*un* pabell) *b* 23 *tents*
peg (-iau) *g* 5 *peg*
peilot (-iaid) *g* 21 *pilot*
peintio 42 *to paint*
peintiwr (peintwyr) *g* 41 *painter*
peiriant (peiriannau) *g* 20 *engine*
peiriant golchi *g* 7 *washing machine*
peiriant tocynnau *g* 20 *ticket machine*
peiriant torri lawnt *g* 9 *lawnmower*
pêl (peli) *b* 17, 50 *ball*
pêl-droed *b* 51 *football*
pêl-droed Americanaidd *b* 50 *American football*
pêl-fas *b* 50 *baseball*
pêl-fasged *b* 50 *basketball*
pelican (-od) *g* 18 *pelican*
pell 44 *far*
pen (-nau) *g* 38 *head*
pen-blwydd *g* 47 *birthday*
penbyliaid (*un* penbwl) *g* 16 *tadpoles*
penelin (-oedd) *g* 38 *elbow*
pengwin (-od) *g* 18 *penguin*
pen-lin (penliniau) *g* 38 *knee*
pennau ffelt (*un* pen ffelt) *g* 28 *felt pens*
pen-ôl (penolau) *g* 38 *bottom*
pensil (-iau) *g* 28 *pencil*
pentref (-i) *g* 23 *village*
perllan (-nau) *b* 25 *orchard*
perth (-i) *b* 16 *bush*
petrol *g* 21 *petrol*
petryal *g* 52 *rectangle*
piano (-s) *g* 15 *piano*
pibell (-au) *b* 12 *pipe*
piben ddŵr (pibau dŵr) *b* 9 *hosepipe*
picnic (-s) *g* 16 *picnic*
pig (-au) *b* 49 *beak*
pigoglys *g* 35 *spinach*
pilipala (pilipalod) *g* 22 *butterfly*
pils (*un* pilsen) *b* 30 *pills*
pinc 52 *pink*
pinnau bawd (*un* pin bawd) *g* 28 *drawing pins*
pizza 37 *pizza*
plaen (-iau) *g* 11 *plane (woodwork)*
planed (-au) *b* 46 *planet*
planhigyn (planhigion) *g* 29 *plant*
plant (*un* plentyn) *g* 17 *children*

plastr (-au) *g* 31 *sticking plaster*
plastr caled *g* 30 *plaster*
platfform (-s) *g* 20 *platform*
platiau (*un* plât) *g* 7 *plates*
plismon (plismyn) *g* 13, 40 *policeman*
plu (*un* pluen) *b* 18 *feathers*
plymio 50 *diving*
plymiwr dŵr bas *g* 41 *frogman*
pobl *b* 40 *people*
pobydd (-ion) *g* 41 *baker*
poced (-i) *b* 39 *pocket*
poeth 44 *hot*
polyn (polion) *g* 55 *pole*
polyn lamp (polion lampau) *g* 13 *lamp post*
polyn sgio *g* 51 *ski pole*
pont (-ydd) *b* 23 *bridge*
popcorn *g* 54 *popcorn*
porffor 52 *purple*
postmon (postmyn) *g* 41 *postman*
pot (-iau) *g* 11 *jar*
pot paent (potiau paent) *g* 11 *paint pot*
potel (-i) *b* 35 *bottle*
powdwr golchi *g* 6 *washing powder*
powlen (-ni) *b* 7 *bowl*
pram (-iau) *g* 9 *pram*
pren mesur (prennau mesur) *g* 28 *ruler*
pridd *g* 17 *earth*
priodfab *g* 47 *bridegroom*
priodferch *b* 47 *bride*
prynu 43 *to buy*
pupur *g* 36 *pepper*
pwdin (-au) *g* 37 *pudding*
pwll nofio (pyllau nofio) *g* 50 *swimming pool*
pwll tywod (pyllau tywod) *g* 16 *sandpit*
pwllyn dŵr (pyllau dŵr) *g* 17 *puddle*
pwmp petrol (pympiau petrol) *g* 21 *petrol pump*
pwmpen (-ni) *b* 35 *pumpkin*
pwrs (pyrsau) *g* 35 *purse*
pyjamas *g* 31 *pyjamas*
pyped (-au) *g* 15 *puppet*
pys (*un* pysen) *b* 34 *peas*
pysgod aur (*un* pysgodyn aur) *g* 49 *goldfish*
pysgodyn (pysgod) *g* 27 *fish*
pysgota 50 *fishing*
pysgotwr (pysgotwyr) *g* 23 *fisherman*

R

raced (-i) *b* 50 *racket*
radio (-s) *g* 4 *radio*
ras (-ys) *b* 50 *race*
recorder (-s) *g* 14 *recorder*
reidio beic 51 *cycling*

reis *g* 37 *rice*
robot (-iaid) *g* 14 *robot*
roced (-i) *b* 15 *rocket*
rwber (-i) *g* 28 *rubber*
rygbi *g* 50 *rugby*

Rh

rhaeadr (-au) *b* 23 *waterfall*
rhaff (-au) *b* 27 *rope*
rhaff dynn *b* 55 *tightrope*
rhaff sgipio *b* 17 *skipping rope*
rhaw (-iau) *b* 8, 26 *spade*
rhedeg 43 *to run*
rheiddiadur (-on) *g* 5 *radiator*
rheinoseros *g* 19 *rhinoceros*
rhew *g* 48 *frost*
rhif (-au) *g* 53 *number*
rholer (-i) *g* 13, 15 *roller*
rholiau bara (*un* rhôl fara) *b* 36 *bread rolls*
rhuban (-au) *g* 32 *ribbon*
rhwyd (-i) *b* 27 *net*
rhwyd ddiogelwch *b* 55 *safety net*
rhwyf (-au) *b* 26 *oar*
rhwyfo 50 *rowing*
rhwymyn (-nau) *g* 30 *bandage*

S

saer (seiri) *g* 40 *carpenter*
saeth (-au) *b* 14 *arrow*
saethyddiaeth *b* 51 *archery*
salad *g* 37 *salad*
salami *g* 33 *salami*
sandal (-au) *g* 39 *sandal*
saws *g* 37 *sauce*
sbageti *g* 37 *spaghetti*
sbaner (-i) *g* 21 *spanner*
sbwng (sbyngiau) *g* 4 *sponge*
sbwriel *g* 6 *rubbish*
sebon *g* 4 *soap*
sebra (-od) *g* 19 *zebra*
seindorf (seindyrf) *b* 55 *band*
seleri *g* 34 *celery*
selsigen (selsig) *b* 33 *sausage*
seren (sêr) *b* 46, 52 *star*
seren fôr (sêr môr) *b* 26 *starfish*
sgarff (-iau) *b* 39 *scarf*
sgert (-iau) *b* 39 *skirt*
sgi (sgïau) *b* 51 *ski*
sgio 51 *skiing*
sgipio 43 *to skip*
sgïwr dŵr *g* 26 *water-skier*
sglefrio ar iâ 51 *ice-skating*
sglodion (*un* sglodyn) *g* 37 *chips*
sgriw (-iau) *b* 10 *screw*

sgriwdreifer (-s) *g* 10 *screwdriver*
sgubell (-au) *b* 7 *broom*
sgwâr (sgwariau) *g* 52 *square*
siaced (-i) *b* 39 *jacket*
sialc (-iau) *g* 28 *chalk*
siapiau (*un* siâp) *g* 52 *shapes*
siarad 42 *to talk*
siarc (-od) *g* 19 *shark*
sied (-iau) *b* 8 *shed*
siglen (-ni) *b* 16 *swing*
signal (-au) *g* 20 *signal*
simnai (simneiau) *b* 12 *chimney*
sinc (-iau) *g* 6 *sink*
sinema (sinemâu) *b* 13 *cinema*
siocled *g* 32 *chocolate*
siocled poeth *g* 36 *hot chocolate*
Siôn Corn *g* 47 *Father Christmas*
siop (-au) *b* 12, 34 *shop*
siop deganau (siopau teganau) *b* 14 *toyshop*
si-so (-s) *g* 17 *seesaw*
siswrn *g* 28 *scissors*
siwglwr (siwglwyr) *g* 55 *juggler*
siwgr *g* 36 *sugar*
siwmper (-i) *b* 39 *jumper*
sled (-iau) *b* 47 *sleigh*
sliper (-s) *b* 31 *slipper*
soffa (-s) *b* 4 *sofa*
sosbenni (*un* sosban) *b* 6 *saucepans*
soser (-i) *b* 7 *saucer*
stabl (-au) *b* 25 *stable*
stiward awyr *g* 21 *air steward*
stiwardes awyr *b* 21 *air hostess*
stôl (stolion) *b* 6 *stool*
stondin saethu (stondinau saethu) *b* 54 *rifle range*
stryd (-oedd) *b* 12 *street*
sudd oren *g* 33 *orange juice*
sugnydd llwch *g* 6 *vacuum cleaner*
sw (-s) *g* 18 *zoo*
swits (-ys) *g* 6 *switch*
swper (-au) *g* 37 *supper*
sych 44 *dry*
symiau (*un* swm) *g* 28 *sums*
syrcas (-au) *g* 55 *circus*
syrcas-feistr (-i) *g* 55 *ringmaster*
syrthio 43 *to fall*

T

tac (-iau) *g* 11 *tack*
tacsi (-s) *g* 13 *taxi*
tad (-au) *g* 41 *father*
tad-cu *g* 41 *grandfather*
taflod (-ydd) *b* 24 *loft*
taflu 42 *to throw*
tafod (-au) *g* 38 *tongue*
taid (teidiau) *g* 41 *grandfather*

tân gwyllt *g* 32 *fireworks*
tancer (-i) *g* 24 *tanker*
tancer petrol (tanceri petrol) *g* 21
   petrol tanker
tap (-iau) *g* 4 *tap*
tâp mesur (tapiau mesur) *g* 11 *tape*
   measure
targed (-au) *g* 51 *target*
tarw (teirw) *g* 24 *bull*
tas wair (teisi gwair) *b* 24 *haystack*
tasgydd dŵr *g* 8 *sprinkler*
tatws (*un* taten) *b* 35 *potatoes*
tatws stwnsh 37 *mashed potatoes*
te *g* 36 *tea*
tebot (-au) *g* 36 *teapot*
tedi (-s) *g* 30 *teddy bear*
tegan (-au) *g* 31, 32 *toy*
tegell (-au) *g* 7 *kettle*
tei (-s) *g* 39 *tie*
teiar (-s) *g* 21 *tyre*
teigr (-od) *g* 19 *tiger*
teils (*un* teilsen) *b* 7 *tiles*
teisen (-nau) *b* 32 *cake*
teisen ben-blwydd *b* 47 *birthday cake*
teits *g* 39 *tights*
teithio 20 *travelling*
teledu *g* 31 *television*
telesgop (-au) *g* 46 *telescope*
tenau 44 *thin*
tennis *g* 50 *tennis*
tennis bwrdd *g* 51 *table tennis*
tennyn (tenynnau) *g* 17 *lead (for dog)*
teulu (-oedd) *g* 41 *family*
tew 44 *fat*
to (toeau) *g* 12 *roof*
tocynnwr *g* 20 *ticket inspector*
toes modelu *g* 15 *playdough*
toiled (-au) *g* 4 *toilet*
tomato (-s) *g* 34 *tomato*
ton (-nau) *b* 27 *wave*
top *g* 44 *top*
torri coed 42 *to chop wood*
torri papur 42 *to cut paper*
tost *g* 36 *toast*
tractor (-au) *g* 24 *tractor*
traeth (-au) *g* 27 *beach*
trapîs *g* 55 *trapeze*
treic (-iau) *g* 17 *tricycle*
trên (trenau) *g* 14, 23 *train*
trên colli cylla *g* 54 *big dipper*
trên nwyddau *g* 20 *goods train*
trên sgrech *g* 54 *ghost train*
triongl (-au) *g* 52 *triangle*
troed (traed) *g* 38 *foot*
troli (trolïau) *g* 35 *trolley*
trôns *g* 39 *pants*
trowsus (-au) *g* 39 *trousers*
trowsus byr (trowsusau byr) *g* 39 *shorts*
trwmped (-i) *b* 14 *trumpet*

trwnc (trynciau) *g* 19 *trunk*
trwyn (-au) *g* 38 *nose*
trywel (-i) *g* 9 *trowel*
tu allan 45 *outside*
tu mewn 45 *inside*
tun (-iau) *g* 35 *tin*
twll (tyllau) *g* 12 *hole*
twll botwm (tyllau botymau) *g* 39
   button hole
twnnel (twneli) *g* 23 *tunnel*
tŵr llithro *g* 54 *helter-skelter*
tŵr rheoli *g* 21 *control tower*
twrcïod (*un* twrci) *g* 25 *turkeys*
tŷ (tai) *g* 13 *house*
tŷ dol (tai doliau) *g* 14 *doll's house*
tŷ gwydr (tai gwydr) *g* 9 *greenhouse*
tylluan (-od) *b* 23 *owl*
tymhorau (*un* tymor) *g* 48 *seasons*
tynnu 43 *to pull*
tywel (-i) *g* 4 *towel*
tywydd *g* 48 *weather*
tywyll 45 *dark*

Th

thermomedr (-au) *g* 30 *thermometer*

U

uchel 45 *high*

W

wal (-iau) *b* 29 *wall*
wy (-au) *g* 35 *egg*
wy wedi'i ferwi (wyau wedi'u berwi) *g*
   36 *boiled egg*
wy wedi'i ffrio (wyau wedi'u ffrio) *g* 36
   fried egg
wylo 42 *to cry*
ŵyn (*un* oen) *g* 24 *lambs*
wyneb (-au) *g* 38 *face*

Y

ychydig 44 *few*
yfed 42 *to drink*
ymaflyd swmo 51 *sumo wrestling*
ymbarél (-s) *g* 26, 48 *umbrella*
ymladd 43 *to fight*
ymolchi 42 *to wash*
yn y tŷ 4 *at home*
yn y wlad 22 *in the country*
ynys (-oedd) *b* 26 *island*
ysbyty (ysbytai) *g* 30 *hospital*

ysgol (-ion) *b* 9, 10 *ladder*
ysgol (-ion) *b* 12, 28 *school*
ysgol raffau *b* 55 *rope ladder*
ysgrifbin (-nau) *g* 28 *pen*
ysgrifennu 42 *to write*
ysgubo 43 *to sweep*
ysgubor (-iau) *b* 24 *barn*
ysgwydd (-au) *b* 38 *shoulder*
ystafell aros (ystafelloedd aros) *b* 31
   waiting room
ystafell fyw (ystafelloedd byw) *b* 4
   living room
ystafell newid (ystafelloedd newid) *b*
   51 *changing room*
ystafell wely (ystafelloedd gwely) *b* 5
   bedroom
ystafell ymolchi (ystafelloedd ymolchi)
   b 4 *bathroom*
ystlum (-od) *g* 18 *bat*

Z

zip (-iau) *g* 39 *zip*

Hawlfraint © Usborne Publishing Cyf 1995, 1979
Hawlfraint © y fersiwn Gymraeg Gwasg y Dref Wen 1996, 1979
Fersiwn wedi'i diweddaru yw hon a gyhoeddwyd gyntaf gan
Usborne Publishing Cyf 1995 dan y teitl *The Usborne First 1000
Words.*
Cyhoeddiad Cymraeg 1996 gan Wasg y Dref Wen, yn seiliedig
ar fersiwn flaenorol a gyhoeddwyd gyntaf ym 1979.

Cyhoeddwyd yn Gymraeg 1996 gan Wasg y Dref Wen,
28 Ffordd yr Eglwys, Yr Eglwys Newydd, Caerdydd CF14 2EA
Ffôn 02920617860.

Adargraffwyd 1997, 1998, 1999, 2001, 2002, 2004, 2005,
2007, 2009, 2010
Mae'r cyhoeddwr yn cydnabod cefnogaeth ariannol
Cyngor Llyfrau Cymru.
Cedwir pob hawlfraint. Ni chaiff unrhyw ran o'r llyfr hwn ei hatg-
ynhyrchu na'i storio mewn system adferadwy na'i hanfon allan
mewn unrhyw ffordd na thrwy unrhyw gyfrwng electronig, peiri-
anyddol, llungopïo, recordio nac unrhyw ffordd arall, heb gani-
atâd ymlaen llaw gan y cyhoeddwyr.

Argraffwyd yn China.